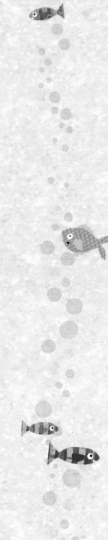

Cadi dan y dŵr

I Cadi, Caio Gwilym, Mabon
a phlant Ysgol Bro Cinmeirch.

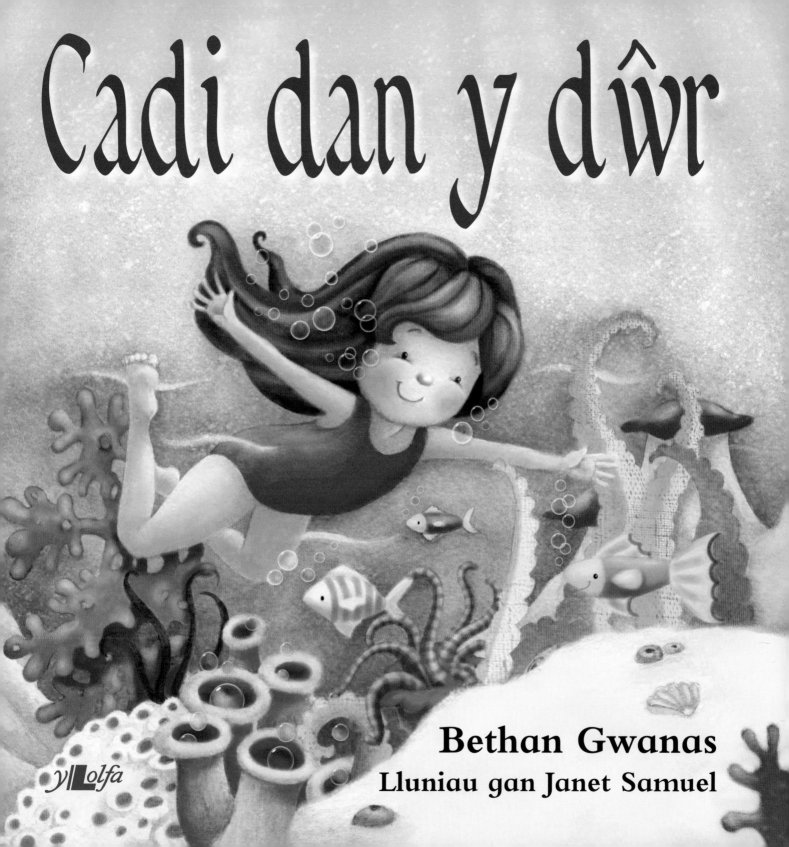

Cadi dan y dŵr

Bethan Gwanas

Lluniau gan Janet Samuel

y Lolfa

Argraffiad cyntaf: 2017

© Hawlfraint Bethan Gwanas a'r Lolfa Cyf., 2017

© Hawlfraint lluniau Janet Samuel

Diolch i The Bright Group International Limited.

Dymuna'r cyhoeddwyr gydnabod cymorth ariannol Cyngor Llyfrau Cymru.

Rhif llyfr rhyngwladol: 978 1 78461 429 4

Cyhoeddwyd ac argraffwyd yng Nghymru
gan Y Lolfa Cyf., Talybont, Ceredigion, SY24 5HE
e-bost: ylolfa@ylolfa.com
y we: www.ylolfa.com
ffôn: 01970 832304
ffacs: 01970 832782

Mam

Mabon

Cadi

Roedd hi'n ddiwrnod braf, poeth, ac roedd teulu Cadi'n mynd i lan y môr. Roedd Mam wedi pacio pob dim roedd ei angen: dillad nofio, tyweli mawr cynnes, eli haul, hetiau haul, sbectol haul, bwced, rhaw, heb anghofio'r picnic wrth gwrs!

Wps, a Mabon, brawd bach Cadi, a'i lori fach las.

Roedd Cadi wedi cynhyrfu'n rhacs, wedi newid i'w gwisg nofio yn barod ac yn canu dros y lle:

"Mae hi'n haf ac mae hi'n braf!

A 'dan ni i gyd yn mynd i lan y môr, i lan y môr, i lan y môr!

A dwi'n mynd i nofio yn y môr, yn y môr, yn y môr!

Yn y môôôr!"

Chwerthin roedd Mam a Mabon i ddechrau, ond ar ôl chwarter awr, roedd Mabon yn gorfod stwffio'i fysedd i mewn i'w glustiau.

Ond wrth iddyn nhw nesáu at y môr, roedd cymylau'n dechrau cuddio'r haul, a doedd Mam ddim angen gwisgo ei sbectol haul i yrru.

Erbyn iddyn nhw gyrraedd y traeth a thynnu pob dim allan o'r car, roedd gwynt cryf wedi codi ac wedi chwipio'r môr yn donnau mawr, gwyllt.

"Dim ots," meddai Cadi. "Mi fydd nofio yn y tonnau yn hwyl!"

"O, na fydd, fydd o ddim," meddai Mam. "Mae'r môr yn llawer rhy wyllt heddiw, Cadi. Gei di chwarae yn y pyllau dŵr, ond chei di ddim rhoi blaen dy droed yn y môr, iawn?"

"Ond Ma-am!" protestiodd Cadi. "Dydy'r pyllau ddim yn ddigon dwfn i mi nofio ynddyn nhw!"

"Ddim heddiw, Cadi, mae'n rhy beryglus, a dyna ddiwedd arni. Helpa Mabon i wneud castell tywod os nad wyt ti eisiau chwarae yn y pyllau."

Doedd Cadi ddim yn hapus o gwbl a doedd hi ddim eisiau helpu Mabon i wneud castell tywod. Bob tro y byddai hi'n gwneud twr castell perffaith efo'r bwced, byddai Mabon yn ei chwalu gyda'i lori fach las.

"Mabon! Ti'n boen!" meddai'n flin.

"Peidiwch â ffraeo!" meddai Mam. "Iawn, anghofiwch am wneud castell tywod am y tro – beth am gael y picnic?"

Felly, eisteddodd y tri i yfed diod piws ac i fwyta brechdanau wy, brechdanau caws a chacennau melyn, meddal. Iym iym! Ond gollyngodd Mabon ei frechdan wy yn y tywod a chael llond ceg o frechdan dywod yn lle hynny. Ych a fi! Chwerthin am ei ben wnaeth Cadi, a doedd Mabon ddim yn hoffi hynny. Felly, pan agorodd Cadi dwbyn bach o iogwrt mefus, ei hoff iogwrt hi yn y byd i gyd, rhoddodd Mabon lond llaw o dywod ynddo.

Yyyyych! Doedd Cadi ddim yn chwerthin wedyn.

"Mabon! Ti ydi'r poen mwya yn y byd i gyd!" meddai gan daflu ei thwbyn iogwrt ar y llawr fel bod yr iogwrt yn ffrwydro i bob man.

"Cadi! Paid â bod mor wirion!" gwaeddodd Mam.

"Ond fo ddechreuodd! Fo roddodd dywod yn —" dechreuodd Cadi brotestio.

"Hisht! Dwi'n flin iawn efo ti, Cadi," meddai Mam. "Cer am dro i rywle o 'ngolwg i, wnei di?"

"Iawn," meddai Cadi mewn stremp, gan gydio yn ei photel o ddiod piws a chodi ar ei thraed.

"Ond paid â mynd yn rhy bell!" meddai Mam.

Hmff, meddyliodd Cadi. Mynd o'i golwg hi ddywedodd hi…

Cerddodd yn gyflym ar hyd y traeth. Roedd hi'n berwi, yn union fel tonnau'r môr.

Pam mai *hi* oedd wastad yn cael y bai am bob dim?

Yna, sylweddolodd ei bod wedi yfed ei diod i gyd. Grrrr! Rheswm arall dros fod yn flin! Taflodd y botel wag i'r môr gyda'i holl nerth.

Aeth Cadi yn ei blaen at bwll dŵr oedd yn llawn cerrig a chregyn a gwymon ac eisteddodd ynddo'n bwdlyd. Roedd y dŵr yn gynnes, felly gorweddodd ar ei chefn ynddo a chau ei llygaid.

Yn sydyn, teimlodd y dŵr yn byrlymu o'i chwmpas, a'r tywod yn rhoi oddi tani. Roedd rhywbeth yn ei thynnu i lawr ac i lawr. Roedd hi'n suddo!

"Help!" gwaeddodd, ond roedd hi'n llawer rhy bell i'w mam ei chlywed.

Shhhhhhhlp!

Na, roedd Cadi o dan y môr! A doedd hi ddim yn gallu anadlu!

Yn sydyn, gwelodd wyneb tlws o'i blaen, wyneb gyda llygaid mawr, mawr oedd yn dod yn agosach ac yn agosach ati, ac yna'n ddigon agos i roi cusan fawr, wlyb ar wefusau Cadi! Yyyych!

Yna, sylweddolodd Cadi ei bod yn gallu anadlu'n iawn o dan y dŵr ar ôl y gusan – ac yn gallu clywed hefyd.

"Dyna lwcus fy mod i yma i dy helpu i anadlu dan y dŵr, yndê?" meddai llais cerddorol. Roedd merch â llygaid mawr, glas a gwallt hir, hir, gwyrdd yn nofio gyda Cadi.

"Ia, diolch – diolch yn fawr iawn," meddai Cadi. Roedd hi'n gallu siarad dan y dŵr hefyd – waw!

"Croeso," meddai'r ferch. "Mabli ydw i. Pwy wyt ti?"

"Cadi. Waaaaw! Mae gen ti gynffon pysgodyn!" meddai Cadi. "Môr-forwyn wyt ti?"

"Wrth gwrs. Ond nid cynffon pysgodyn ydi hon, diolch yn fawr, ond cynffon môr-forwyn."

"O, mae'n ddrwg gen i. Ond… môr-forwyn? Dach chi'n bod go iawn felly? Ddim jest mewn straeon?"

"Wrth gwrs. Ond mae llawer llai ohonon ni rŵan nag oedd ers talwm."

"O? Pam?"

"Am yr un rheswm pam mae llai o forfilod a physgod yn y môr. Mae pobl dros y byd i gyd yn taflu pethau afiach i mewn i'r môr, felly mae llai o ardaloedd glân o'r môr i ni fyw ynddyn nhw."

"O," meddai Cadi. "Mae fan hyn yn ddigon glân i chi felly?'

"Wel, mae pethau'n dal i gyrraedd sydd ddim i fod yma. Fel ti – a'r botel yna…" meddai Mabli gan bwyntio uwch ei phen.

Edrychodd Cadi i fyny a gweld ei photel bop hi'n arnofio ar wyneb y dŵr. Teimlodd ei bochau'n cochi.

"Ym… o ia, sori am hynna."

"Hmmm…" meddai Mabli. "Wel, mae Dad eisiau gair efo ti."

"O diar," meddai Cadi'n nerfus. "Pwy ydi dy dad?"

"Y Brenin Neifion, siŵr iawn. Tyrd efo fi."

Gyda fflic o'i chynffon, nofiodd Mabli i ffwrdd a cheisiodd Cadi nofio ar ei hôl, ond roedd hi fel malwen mewn dŵr oer o'i chymharu â Mabli, oedd yn nofio fel… wel, fel pysgodyn.

"Hei! Mabli!" gwaeddodd Cadi. "Aros! Ti'n mynd yn rhy gyflym! Does gen i ddim cynffon fel ti!"

Trodd Mabli a chwerthin o weld breichiau a choesau Cadi'n mynd i bob man – ac i nunlle. Nofiodd yn ei hôl a chydio yn llaw Cadi.

"Tyrd," meddai gyda gwên, gan dynnu Cadi drwy'r dŵr.

Wrth iddi symud yn hawdd drwy'r dŵr, roedd llygaid Cadi fel soseri, a'i cheg ar agor fel ceg pysgodyn.

Roedd y lliwiau yn rhyfeddol, yn lliwgar fel enfys!

Gwelodd bysgod o bob lliw a llun – crancod pinc a phiws a rhai gyda smotiau arnyn nhw, cimychiaid glas a choch a phinc ac un gyda chynffon lachar fel adenydd pilipala. Tynnodd Mabli hi drwy lenni o wymon; roedd hyn fel hedfan drwy goedwig! Roedd y canghennau'n feddal, yn chwifio a chwyrlïo fel rhubanau o'i chwmpas.

"W!" meddai, wrth i ben morlo bach neidio allan o'r gwymon o'i blaen hi.

"Bw!" chwarddodd y morlo bach. "Hi! Hi! Mae 'na swigod yn dod allan o dy geg di!"

Nofiodd y morlo bach ar ôl y swigod a'u brathu fesul un, gan chwerthin wrth iddyn nhw chwalu yn ei wyneb.

Yna, daeth y goedwig o wymon i ben. Roedden nhw wedi cyrraedd palas mawr, hardd, wedi ei wneud o gregyn o bob siâp dan haul – neu, yn yr achos yma, o bob siâp dan y dŵr!

"Dyma ni, fy nghartre i," meddai Mabli.

Roedd y lle'n berwi o fôr-forynion a môr-fechgyn yn twtio a glanhau, yn rhoi sglein ar y cregyn gyda darnau o sbwng ac anemonïau'r môr; roedd pysgod yn defnyddio eu cynffonnau i sgubo sbwriel drwy'r drysau: caniau a photeli pop plastig, bagiau plastig, pecynnau da-da a siocled, poteli gwydr ac ambell fflip-fflop.

Roedd cimychiaid yn defnyddio eu crafangau i docio blodau a gwymon yn yr ardd, a chrancod yn gosod addurniadau dros y lle.

"Mae pawb yn ofnadwy o brysur achos mae Dad yn cael ei barti pen-blwydd heno," eglurodd Mabli. "O, aros eiliad," meddai gan nofio tuag at grwban bach druan oedd â'i wddf yn sownd mewn teclyn plastig i ddal caniau cwrw. "Ifan bach, ers pryd mae hwn am dy wddw di?" gofynnodd.

"Ers misoedd," wylodd Ifan y Crwban, "ac wrth i mi dyfu, mae o'n brifo'n fwy a mwy."

Cydiodd Mabli mewn cragen finiog a thorri'r hen blastig creulon i ffwrdd. Gwenodd Ifan y Crwban yn ddiolchgar arni cyn troi at Cadi.

"Dydi pethau fel'na ddim i fod yn y môr," meddai, cyn nofio i ffwrdd yn araf, a theimlai Cadi fel cuddio o dan gragen.

Cydiodd Mabli yn llaw Cadi eto ac ymlaen â nhw i ganol y palas, ac i mewn i stafell fawr lle roedd dyn mawr barfog yn eistedd mewn cadair wedi ei gwneud o gragen fylchog anferthol. Roedd hi'n amlwg mai brenin oedd hwn gan ei fod yn gwisgo coron wedi ei gwneud o gregyn gwichiaid ar ei ben, ac roedd ei gynffon yn lliw aur oedd yn sgleinio fel yr haul.

Gwenodd wrth weld Mabli, ond diflannodd y wên pan welodd Cadi.

"A phwy ydi hon?" gofynnodd mewn llais dwfn oedd yn gwneud i'r gwymon o'i amgylch grynu.

"Cadi ydi hon, Dad," meddai Mabli. "Yr un daflodd y botel…"

"O-ho!" rhuodd y Brenin Neifion.

Trodd pob pysgodyn a phob môr-forwyn a môr-fachgen at Cadi a gwgu'n flin. Cleciodd pob cranc a chimwch eu crafangau yn swnllyd arni. O diar! Roedd Cadi druan wedi dychryn yn ofnadwy.

"Ym…" meddai mewn llais bach crynedig. "Ym… ia, m-m-mae'n dd-dd-ddrwg gen i. Wna i ddim eto, dwi'n addo, cris croes tân poeth, torri pen, torri coes!"

"Torri ei phen hi, torri ei choesau hi!" gwichiodd côr o grancod cas iawn yr olwg.

"O na, plis peidiwch!" meddai Cadi, bron â chrio.

"Iawn, mi gei di gadw dy ben a dy goesau – er mor hyll ydyn nhw – ond bydd rhaid dysgu gwers i ti."

"Dysgu gwers! Dysgu gwers!" gwichiodd y côr o grancod.

"Bydd rhaid i ti helpu i gasglu a pharatoi bwyd ar gyfer fy mharti pen-blwydd i," meddai'r brenin. "Iawn?"

"I-i-ia, iawn!" meddai Cadi. "Diolch yn fawr i chi, syr – eich Mawrhydi!"

"Eich Môrhydi! Eich Môrhydi!" cywirodd y crancod hi'n syth.

"Mabli," meddai ei Fôrhydi. "Dysga hi sut i gasglu a pharatoi bwyd, a cher â dy frawd bach efo ti."

"Oooo!" protestiodd Mabli. "Ond mae o'n boen! Oes rhaid?"

"Rhaid!" rhuodd y brenin nes bod y môr yn chwyrlïo popeth o'i gwmpas fel pys mewn llond sosban o ddŵr berwedig.

23

Cydiodd Mabli yn llaw Cadi eto a'i harwain yn bwdlyd i fyny at stafell wely yn llawn teganau môraidd fel ceffyl môr siglo wedi ei gerfio o hen ddarn o bren, a slefrod môr amryliw wedi eu clymu yma ac acw fel balŵns.

"Gwilym? Ble wyt ti?" galwodd Mabli. "Mae o'n un drwg am guddio."

"Pa liw gwallt sydd gynno fo?" gofynnodd Cadi.

"Melyn. Mwng o wallt pigog, melyn," meddai Mabli.

"Hwn ydi o?" gofynnodd Cadi, gan bwyntio at fwng o wallt pigog, melyn.

"Hmm… dwi'n meddwl mai anemoni'r môr ydi hwnna," gwenodd Mabli, gan symud yn araf at y gragen. "Mae gwallt Gwilym yn fwy blêr o lawer."

Yn sydyn, gwthiodd Mabli ei braich i lawr y twll yn y gragen, a dechreuodd yr anemoni melyn symud a chwerthin.

"Paid! Paid, mae'n cosi!" meddai llais bach o du mewn y gragen, cyn i gorff môr-fachgen bach del saethu allan, yn syth i mewn i fol Cadi.

"Wwff!" meddai Cadi, wrth iddi gael ei gwthio yn ei hôl i mewn i'r slefrod môr wrth droed y gwely.

"Ha ha!" chwarddodd Gwilym.

Roedd breichiau a choesau Cadi wedi eu clymu mewn sbageti o'r llinynnau oedd yn clymu'r slefrod i'r gwely.

"Ych a pych, beth ydi'r rheina?" gofynnodd Gwilym, gan bwyntio at ei choesau hi. "Maen nhw fel dwy slywen yn dod allan o dy ben ôl di!"

"Gwilym!" meddai Mabli. "Cadi ydi hon, ac mae hi'n wahanol i ni, dyna i gyd. Dwed helô wrthi."

"Helô, Cadi. Pam nad oes gen ti gynffon?"

"Ym… does dim angen cynffon arna i, fel arfer," meddai Cadi.

"Ond mae pawb angen cynffon, siŵr!"

"Mi fyddai'n haws nofio petai gen i gynffon," meddai Cadi.

"O? Wyt ti eisiau cynffon?" holodd Mabli.

"Wel, mi fyddai gen ti a fi ddwy law yn rhydd wedyn i gasglu pethau ar gyfer parti dy dad…" meddai Cadi.

"Iawn, cynffon amdani felly!" meddai Mabli gan grychu ei thrwyn a gwneud pethau rhyfedd gyda'i dwylo.

Ping!

Roedd coesau Cadi wedi diflannu ac roedd ganddi gynffon hir, hyfryd yn eu lle!

"Waaaaaaw!" meddai Cadi gan chwerthin ac ysgwyd ei chynffon. Ond roedd ei chynffon yn gryf, a saethodd yn syth at nenfwd y stafell wely gan daro ei phen. Dwffff!

"Aaawww!" meddai, wrth i Mabli a Gwilym rowlio chwerthin.

Aeth y tri, gyda chriw o geffylau môr â basgedi ar eu cefnau, i gasglu bwyd parti: wyau pysgod, cregyn gleision, gwymon coch, brown a gwyrdd…

"Beth sy'n yr ogof acw?" gofynnodd Gwilym.

Trodd pawb i edrych ar dwll mawr, tywyll, yn y graig.

"O diar, rydyn ni wedi dod yn rhy bell!" meddai Mabli'n nerfus. "Ogof Morlais y Morgi Mawr Gwyn ydi honna!"

"Beth ydy morgi?" gofynnodd Cadi.

"Siarc!" meddai Gwilym, a'i lygaid yn sgleinio. "A dwi isio dant siarc yn anrheg pen-blwydd i Dad, i'w roi ar gadwyn am ei wddw! Efallai fod un ar lawr yr ogof!" a saethodd am geg yr ogof cyn i Mabli gael gafael yn ei gynffon.

"Gwilym! Tyrd yn ôl, y penbwl gwirion!" gwichiodd Mabli.

Ond roedd Gwilym wedi diflannu i mewn i'r tywyllwch.

"O na!" llefodd Mabli. "Mae Morlais y Morgi Mawr Gwyn yn gallu bod yn beryglus, yn enwedig os bydd rhywun yn ei ddeffro!"

"Gwilym, tyrd yn ôl," meddai Cadi'n syth.

Gyda fflic o'i chynffon, i mewn â hi i'r ogof. Trodd Mabli at y ceffylau môr:

"Arhoswch chi fan hyn," meddai. "Ac os gwelwch chi'n dda, ga i eich benthyg chi?" gofynnodd i slefren fôr biws oedd yn nofio heibio.

Roedd hi'n dywyll iawn, iawn yn yr ogof, ond gyda help y golau oedd yn pefrio o'r slefren fôr biws, roedd Mabli'n gallu gweld cynffonnau Cadi a Gwilym yn sgleinio yn y pellter.

Chwilota yn y tywod a'r cregyn − a'r esgyrn − roedd Gwilym, a Cadi'n ceisio ei dynnu'n ôl.

"Paid!" hisiodd Gwilym. "Dwi'n siŵr o gael dant mewn munud!"

"Mi gei di gannoedd o ddannedd yn dy gnoi di i frecwast os ydi'r Morgi Mawr Gwyn yn dy ddal di!" hisiodd Cadi'n ôl. "Tyrd!"

"Pwy soniodd am frecwast?" meddai llais dwfn y tu ôl iddyn nhw.

O na! Morlais y Morgi Mawr Gwyn! Rhewodd pawb wrth i ben anferthol llwyd a gwyn gyda rhesi o ddannedd mawr, miniog, ddod i'r golwg.

"Ym… ddim fi!" gwichiodd Gwilym. "Cadi wnaeth!" ychwanegodd, gan saethu i freichiau ei chwaer fawr.

Trodd Morlais i edrych ar Cadi, oedd wedi rhewi gan ofn.

"Dwi'n llwgu," meddai'r morgi. "Rwyt ti'n fach, ond mi wnei di 'nghadw i fynd am chydig."

"O! Plis peidiwch!" meddai Cadi mewn braw. Ond roedd Morlais yn agor ei geg yn fawr ac yn dod amdani! Chwipiodd Cadi ei chynffon i geisio nofio'n ôl am geg yr ogof, ond roedd y morgi'n llawer cyflymach…

Roedd ei ddannedd ar fin cau'n glep amdani…

… pan stopiodd yn stond, gan adael i Cadi nofio'n rhydd.

"O, na!" udodd Morlais. "Dwi'n sownd, yn hollol sownd! Dwi'n mynd i lwgu i farwolaeth yn yr ogof yma!" A dechreuodd grio fel plentyn bach.

Trodd Cadi i edrych arno'n syn. Siarc yn crio?

"Beth sy'n bod?" gofynnodd yn ofalus. Wedi'r cwbl, efallai mai tric oedd hyn.

"Mae 'na rywbeth wedi bachu yn fy nghynffon i ers wythnosau," wylodd y morgi mawr. "A rŵan mae o wedi bachu yn y creigiau yng nghefn yr ogof, fel 'mod i'n methu symud o 'ma… Dwi wedi trio a thrio ond dwi wedi blino a does gen i ddim nerth ar ôl."

"O diar," meddai Cadi. "Mi allwn i fynd i edrych beth ydi o, ond ddim os wnewch chi fy mwyta i…"

"O, dwi'n addo cris croes, coes gwymon, torri pen a thorri cynffon, na wna i dy fwyta di os fedri di fy helpu i!" meddai Morlais.

"Bydd yn ofalus, Cadi!" galwodd Mabli. "Dyma olau i dy helpu di!" ychwanegodd gan yrru'r slefren fôr tuag ati.

Nofiodd Cadi a'r slefren fôr yn araf ar hyd corff hir, hir y morgi reit i ben pellaf yr ogof. Aha! Roedd hen rwyd bysgota wedi clymu cynffon y siarc yn dynn i'r creigiau. Tynnodd Cadi ei chyllell allan a dechrau torri – a thorri – a thorri.

Roedd o'n waith caled, ond o'r diwedd, llwyddodd i ryddhau cynffon y morgi a dechreuodd hwnnw ei symud yn araf, yn ôl a 'mlaen ac i fyny ac i lawr.

"Dwi'n rhydd!" meddai Morlais. "O, diolch, Cadi – rwyt ti wedi achub fy mywyd i!"

Nofiodd o'r ogof ac allan i'r môr mawr gan droi a throi a throi a chwerthin yn hapus, cyn dod yn ei ôl at Cadi, Mabli a Gwilym.

"Beth fedra i ei wneud i ddiolch i chi?" gofynnodd.

"Wel, allwch chi sbario un o'ch dannedd?" meddai Cadi.

Roedd parti pen-blwydd y Brenin Neifion y noson honno yn wych! Dawnsiodd Cadi gyda dolffiniaid a chrancod a chimychiaid i gyfeiliant band na chlywodd ei debyg erioed: morfil mawr glas yn canu bas, pysgod yn taro dannedd Morlais y Morgi fel seiloffon, ac octopws yn chwarae drymiau!

Cafodd y Brenin Neifion lwyth o anrhegion, ond y ffefryn oedd y gadwen dant siarc a gafodd gan Gwilym. Pan glywodd hanes Cadi yn achub Morlais y Morgi, gwenodd a'i galw ato.

"Diolch i ti am fod mor ddewr, Cadi," meddai. "Rwyt ti'n ferch garedig wedi'r cwbl, ac wedi gweld rŵan beth mae'r holl sbwriel mae pobl yn ei daflu i'r môr yn gallu ei wneud i ni, drigolion y môr."

"O, ydw. Mae'n gallu bod yn beryglus ofnadwy," cytunodd Cadi. "A dwi'n addo na wna i byth, byth daflu sbwriel i'r môr eto, cris croes, coes gwymon, torri pen, torri cynffon."

"Rwyt ti'n un ohonon ni rŵan – mae gen ti gynffon," meddai'r brenin.

"Oes," chwarddodd Gwilym, oedd yn stwffio'i hun gyda llawer gormod o wyau pysgod. "Fan hyn – iym – fyddi di am – iym iym – byth rŵan, yn chwarae efo – iym – fi."

"Gwilym! Paid â bod mor farus!" meddai Mabli. "Ti'n cofio beth ddigwyddodd y tro dwetha i ti – o na!"

O diar, roedd hi'n rhy hwyr – roedd Gwilym wedi chwythu i fyny'n belen fach gron fel y pysgod pwff o'i gwmpas!

"Y lembo gwirion!" meddai Mabli. "Mi fydd yn cymryd oriau i'r gwynt ddod allan ohono fo."

Doedd Cadi ddim yn chwerthin fel pawb arall, ond yn edrych yn drist iawn, iawn. A dweud y gwir, roedd hi'n edrych fel petai'n crio, ond mae'n anodd iawn gweld dagrau dan y dŵr, yn tydi?

"Beth sy'n bod, Cadi?" gofynnodd Mabli.

"Dwi… dwi'n eich licio chi i gyd yn arw," meddai Cadi, "ond… ond dwi'n colli Mam a Mabon fy mrawd bach yn ofnadwy. Dwi ddim eisiau bod yma am byth!"

Edrychodd Mabli a'i thad ar ei gilydd.

"Hmm…" meddai'r Brenin Neifion gan grafu ei farf yn araf. "Wel, gan dy fod ti wedi helpu Mabli i gasglu bwyd, ac wedi mynd mewn i'r ogof i achub Gwilym ac wedi achub Morlais y Morgi Mawr Gwyn, dwi'n meddwl y galla i dy helpu di."

Estynnodd dywod hud allan o gragen a'i daenu drosti.

"Ffarwél, Cadi!" gwenodd Mabli, gan godi ei llaw. "Cofia amdanon ni!"

"Siŵr o wneud!" meddai Cadi, cyn iddi deimlo ei llygaid yn cau.

Deffrodd Cadi yn y pwll dŵr. Cododd ar ei heistedd a gweld ei mam a Mabon yn rhedeg yn ôl a 'mlaen ar hyd y traeth, yn galw ei henw.

"Mam! Mabon! Dwi fan hyn!" galwodd. Rhedodd ei mam a Mabon tuag ati.

"O, Cadi! Doedden ni ddim yn gallu dy weld di yn unlle!" meddai Mam. "Ro'n i'n meddwl dy fod ti wedi boddi!"

"O, na, dwi wedi bod ym mhalas y Brenin Neifion, a —"

"Palas y Brenin Neifion? O, Cadi, rwyt ti'n rwdlan eto!"

Sylweddolodd Cadi nad oedd pwynt iddi ddweud ei hanes.

"Mae'n rhaid 'mod i wedi cwympo i gysgu, a breuddwydio," meddai. "A Mam? Dwi'n eich caru chi'n ofnadwy."

"Rydyn ni'n dy garu di hefyd, Cadi fach!" chwarddodd Mam. "Iawn, barod i fynd adre?"

Cododd Cadi ar ei thraed a gweld Mabon ar fin taflu potyn iogwrt i'r môr.

"Na, Mabon! Paid!" gwaeddodd. "Paid byth â thaflu sbwriel i'r môr!"

A chadwodd Cadi at ei gair. O hynny ymlaen, byddai Cadi yn helpu ei mam i gasglu pob blewyn o'u sbwriel ar ôl pob trip i lan y môr, ac yn mynd â'u llanast i gyd adref i'r biniau ailgylchu.

Ond un diwrnod, gollyngodd ddarn o bapur i mewn i bowlen ei physgodyn aur. Cafodd goblyn o sioc pan chwipiodd y pysgodyn aur ei gynffon a thasgu dŵr yn ei hwyneb!

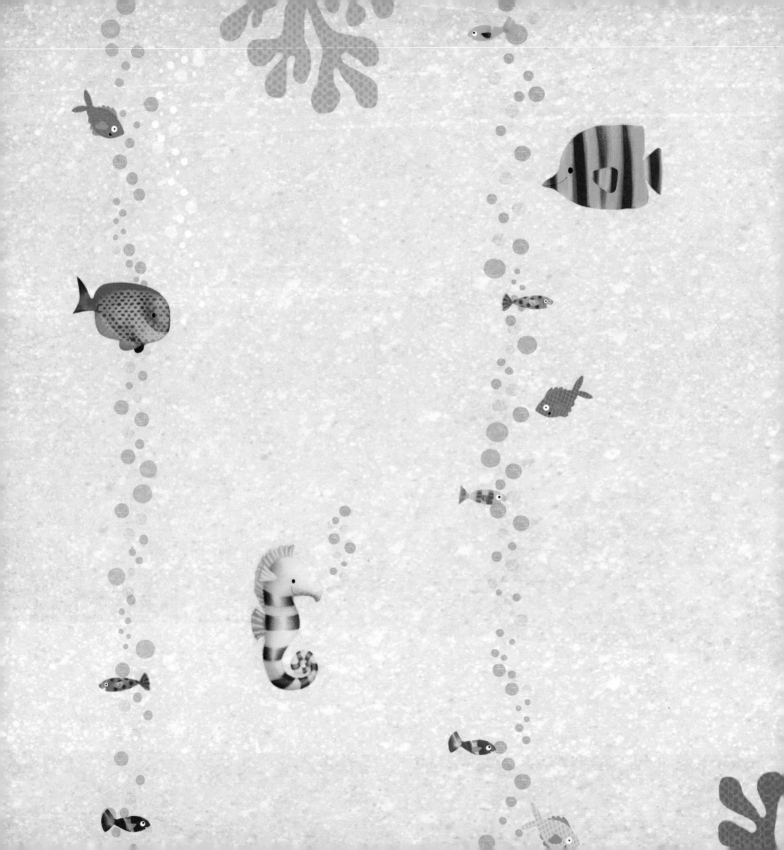